Je suis amoureuse

Quatrième édition

© 2005, Bayard Éditions Jeunesse
Tous les droits réservés. Reproduction, même partielle, interdite.
Dépôt légal : janvier 2005
ISBN : 978-2-7470-1585-1
Loi du 16 juillet 1949 sur les publications destinées à la jeunesse.

Je suis amoureuse

Une histoire écrite par Florence Dutruc-Rosset
illustrée par Marylise Morel
Couleurs de Christine Couturier

BAYARD POCHE

1

Le grand secret

Aujourd'hui, maman a bien voulu que j'invite Élodie à jouer tout l'après-midi à la maison. Génial ! Surtout que j'ai un truc super important à lui dire. Alors, à la fin de notre partie de dames, je lui annonce :

– Élodie, j'ai un secret, hyper secret, hyper hyper secret à t'annoncer ! Mais il faut que tu me jures de le répéter à personne. Juré ?

– Juré, craché ! T'es amoureuse d'Alexis ?

– Ben, comment tu le sais ?

Élodie me répond :

– J'en étais sûre. Ça se voit comme une maîtresse en maillot de bain au milieu d'une cour de récré ! Tu n'arrêtes pas de le regarder, de vouloir participer à tous les jeux qu'il fait avec ses copains. Regarde, hier, tu m'as demandé de venir avec toi jouer au basket avec les garçons, alors que tu détestes ça. J'ai bien vu qu'il y avait Alexis. J'suis pas la plus débile des débiles, hein !

– Comment tu le trouves ?

– Ben, il est super mignon, mega drôle, et puis ses yeux...

– Bon, bon, ça va....

Tout à coup, j'ai une petite frayeur :

– Tu crois que ça se voit tant que ça, que je suis amoureuse de lui ?

– Non, je l'ai vu parce que je te connais par cœur. T'es ma meilleure amie, quand même ! Tu ne peux rien me cacher.

Je demande à Élodie :

– Bon, d'accord, tu vois à travers mon cerveau. Mais il n'empêche que j'ai un gros problème : comment je fais, moi, pour lui dire ?

– Tu n'as qu'à lui écrire un petit mot : Alexis, je t'aime. Signé : Lulu.

– T'es dingue ! La honte, j'oserai jamais !

Élodie continue :

– Alors, tu pourrais lui faire passer un dessin en classe : un cœur avec une flèche. Et tu marques : « L + A = Amour éternel ». Comme ça, c'est discret.

– Tu parles ! Et si la maîtresse confisque le dessin ?

– Bon, alors, tu l'attends à la sortie de

l'école et tu lui glisses dans l'oreille : « Je t'aime ».

– Tu as quarante de fièvre ou quoi ? C'est trop dur, je n'y arriverai jamais ! Et s'il ne m'aime pas et qu'il me répond : « Pff, n'importe quoi... »

Élodie explore d'autres idées :

– Et si tu lui offrais un petit cadeau ? Je ne sais pas, moi, des cartes, des billes...

– Pour que tous ses copains se moquent de moi ? Merci bien !

– Une jolie carte pour la Saint-Valentin ?

– Mais c'est dans six mois !

Tout à coup, Élodie prend un air grave :

– Alors, il ne reste plus qu'une solution. Pour toi, je veux bien me sacrifier. Je vais le

voir, et je lui dis à ta place.

– Surtout pas, la honte internationale ! Ça fait vraiment la fille qui n'est pas capable d'y aller toute seule. En tous cas, je te remercie, Élodie, c'est super sympa. T'es vraiment ma meilleure amie.

Le soir, dans mon lit, je pense à Alexis. C'est vrai qu'il est super mignon, mega drôle… il a des yeux bleus comme la mer et, en plus, il est tellement gentil ! Mon vœu le plus cher au monde, ce serait qu'il veuille bien être mon amoureux. Un petit poème pour lui me trotte dans la tête :

« *Alexis, mon chéri,*
Tu es l'amour de ma vie,
Tu es le soleil de mes nuits. »

Je ferme les yeux, et je m'endors en pensant à lui.

2

La révélation

Le lendemain, quand j'arrive à l'école avec Élodie, Tim nous saute dessus :

– Eh, vous savez quoi, les filles ? Jennifer et Alexis sont amoureux !

D'un coup, j'ai l'impression que le monde s'écroule. C'est comme si le ciel me tombait sur la tête et que je m'enfonçais dans le sol. Je suis incapable de sortir un seul mot.

Élodie me regarde du coin de l'œil pour s'assurer que je ne vais pas m'évanouir ; puis elle dit à Tim :

– Cette crâneuse ! C'est pas possible ! Mais elle est vraiment nulle, avec ses talons hauts, son T-shirt au-dessus du nombril et ses bijoux partout. Elle se met même du vernis à ongles ! Et puis elle se prend pour la reine du monde, alors que c'est juste une calamité sur pattes.

Tim répond :

– Ben, dis-donc, je ne savais pas que tu la détestais autant ! Qu'est-ce qu'elle t'a fait ?

– Rien, rien... C'est juste que ça m'énerve, c'est tout.

– En tout cas, Jennifer a demandé à Alex s'il voulait bien être son amoureux, et il a dit oui.

Mon cœur explose en mille morceaux. J'ai envie de

pleurer, mais je ravale mes larmes. Il ne faut surtout pas montrer que je suis triste.

Je rentre dans l'école et, là, le cauchemar commence.

Les élèves de CM1a, la classe d'Alexis et Jennifer, sont en rang deux par deux. Et que vois-je ? Ils sont tous les deux, main dans la main. L'horreur !

Ensuite, à la récré, Tim, Élodie, Félix, Mansour, Ling et moi décidons de jouer à chat perché.

Alexis et Jennifer nous rejoignent. Jennifer demande, avec son petit ton de crâneuse :

– On peut jouer avec vous ?

Ah non ! Plutôt mourir.

– Oui, bien sûr, lui répond Mansour.

Arrggg... Je meurs.

Et, là, c'est n'importe quoi ! Dès qu'Alexis est le chat, il ne court qu'après Jennifer. Et elle, elle ne court qu'après lui, avec ses talons qui lui donnent une démarche ridicule. Grrr... je la hais !

À la cantine, le cauchemar continue... Mon bel Alexis et l'affreuse Jennifer s'assoient l'un à côté de l'autre avec leur plateau, et ça papote, et ça papote... Et tu veux mon gâteau ? Et tu veux que je demande du rab pour toi ?

Mais ma torture est loin d'être finie ! À la récré de l'après-midi, c'est pire. On reprend le chat du matin, mais mademoiselle n'a plus envie de jouer et demande à Alexis de venir s'asseoir sur le banc avec elle.

Alexis lui répond qu'il préférerait jouer à chat, c'est plus amusant parce que, sur le banc, il n'y a rien à faire. Elle fait une tête de dix pieds de long et part toute seule sur son banc. Et, là, incroyable mais vrai ! elle fait semblant de tomber du banc et de se faire hyper mal au genou droit. Je rêve ! J'ai tout vu, elle l'a

fait exprès. C'est de la pure comédie ! Et, tout à coup, elle se met à pleurnicher en regardant Alexis avec des yeux de cocker. Quelle capricieuse, c'est dingue ! Et le plus dingue, c'est qu'Alexis va immédiatement la consoler sur le banc ! Il lui met le bras autour de ses épaules et lui murmure des mots gentils à l'oreille.

Je crois que je vais m'évanouir pour de vrai. Je ne pourrai jamais continuer à assister à ce spectacle tous les jours à l'école. Quand je vois Alexis s'occuper de cette crâneuse, ça me fait mal au ventre, au cœur, aux jambes, à la tête... Je peux à peine respirer.

Moi, je croyais que l'amour, c'était beau, c'était le bonheur, et tout et tout. Ben, c'est plutôt l'horreur, oui !

3

Chat glacé

Le soir, j'appelle Élodie :

– Je ne sais plus quoi faire, Élodie ! Qu'est-ce que je dois faire ?

– Ce n'est pas facile, parce que Alexis, il a une amoureuse maintenant, alors, il vaudrait mieux t'en trouver un autre.

– Mais c'est impossible ! C'est lui que j'aime, pas

un autre. Quand je le vois, je me sens bien, j'ai l'impression d'être légère, et quand je ne le vois plus, je me sens mal, il me manque.

– Oh là là, t'as pas de chance ! Attends, peut-être qu'il ne restera pas toujours son amoureux, on ne sait jamais...

– Tu parles, ce serait trop beau ! En tout cas, demain, c'est reparti pour l'enfer.

Et, effectivement, le lendemain, rien n'a changé. Alexis est l'amoureux de Jennifer, et Jennifer est l'amoureuse d'Alexis. Et moi, je souffre en silence. Elle le colle tout le temps, impossible de jouer avec lui. À la récré, Tim demande à Alexis :

– Alex, tu viens, on fait des paniers de basket !

– Non, non, répond Jennifer, il reste avec moi.

Élodie s'approche de moi et me dit :

– Quand même, elle exagère ! Il n'est pas à elle non plus. Ce n'est pas un jouet.

Pour Alexis, j'aurais été prête à faire des paniers de basket, mais, là, ce n'est pas la peine...

Tim me lance :

– Tu viens, Lulu, on commence !

– Non, merci, je n'ai pas très envie.

– Oh, vous n'êtes vraiment pas marrants, tous !

Je m'installe dans un coin de la cour et je regarde discrètement Alexis. Il est vraiment beau, avec sa mèche de cheveux qui lui tombe sur le front. Tout à coup, il me repère et me fait un grand sourire. Mon cœur bat à toute vitesse. Mais Jennifer s'en aperçoit et me lance des regards noirs. Puis, elle fait exprès de lui prendre la main. C'est une vraie chipie, celle-là !

Tim, Élodie, Félix et Mansour arrêtent vite le basket. Ils viennent me demander de les suivre et vont chercher Alexis et Jennifer.

– Bon, à quoi vous voulez jouer, alors ? À chat perché ?

– Non, pas encore chat perché ! s'écrie Jennifer.

– À chat bisou ?

– Ah non, sûrement pas, répond-elle froidement.

– Bon, alors, à quoi ?

– Chat glacé ! lance Alexis en regardant Jennifer. C'est rigolo, chat glacé !

– Bon, d'accord, dit-elle.

– Et toi, Lulu, tu veux bien jouer ? me demande Tim.

– Oui, d'accord.

– C'est parti ! C'est moi le chat, s'écrie Alexis.

Et il se met à courir à fond. Tout le monde se disperse dans la cour. Jennifer court à deux kilomètres à l'heure pour être bien sûre d'être attrapée, mais Alexis fonce sur moi.

Je redouble ma vitesse en faisant des zigzags. Il m'a presque touchée, mais je ne suis pas encore transformée en glaçon. Je cours le plus vite que je peux en évitant les petits qui jouent aux billes par terre. Alexis en profite pour passer de l'autre côté et me rattrape.

– Touchée ! s'exclame-t-il.

Je me fige sur place comme une statue de glace en attendant que quelqu'un vienne me délivrer. Quel bonheur d'avoir été congelée par Alexis !

Soudain, Jennifer s'arrête de jouer et se dirige vers Alexis, rouge de colère :

– C'est moi que tu dois attraper, pas une autre fille ! C'est moi, ton amoureuse !

Alexis répond :

– Je peux quand même m'amuser avec mes copains et mes copines. Lulu, je la connais depuis longtemps, bien plus longtemps que toi. Un chat glacé, c'est un chat glacé, on attrape qui on veut.

Jennifer se met alors à pleurnicher :

– Tu es méchant avec moi ! Si ça continue, je ne serai plus ton amoureuse.

Et voilà Alexis qui la console de nouveau.

Ça m'a décongelée d'un seul coup. J'ai rejoint Élodie, et on s'est regardées toutes les deux, puis on a levé les yeux au ciel. Mais qu'est-ce que les crâneuses ont dans la tête ?

N'empêche, c'est moi qu'Alexis a choisie pour me glacer sur place...

4

Quel cauchemar !

À la sortie de l'école, j'entends des pas derrière moi qui se rapprochent de plus en plus vite. Je me retourne : Jennifer !

– Attends-moi, Lulu ! On pourrait faire un bout du chemin ensemble. Je n'habite pas loin de chez toi.

Je pense :

« Oui, hélas, la rue d'à côté. »

– Tu sais, je me suis un peu énervée tout à l'heure, mais ce n'est pas contre toi, hein ! C'est parce que Alexis est très amoureux de moi, tu comprends, il veut toujours être avec moi, tout le temps. C'est fou d'ailleurs, il n'arrête pas de m'offrir des cadeaux. J'ai eu une bague bleue, du papier à lettres avec des papillons trop mignons, un porte-clé en forme de lapin trop chou... Je ne me souviens pas de tout, j'en ai eu tellement !

Je ne sais pas ce qui me retient de l'étrangler...

Elle continue :

– Il m'écrit des lettres sans arrêt, presque une par

jour. Il dit que, quand il sera plus grand, il va se marier avec moi. Il me trouve trop belle, trop intelligente, trop drôle. Bref, il m'adore.

J'ai une de ces envies de la jeter dans le caniveau, là, juste à côté du trottoir...

Rien ne peut plus l'arrêter :

– Mercredi dernier, il m'a invitée au cinéma. On y est allés avec sa mère. C'était trop bien ! On était assis côte à côte, on a mangé des pop-corn et on a rigolé, tu ne peux pas savoir, plus on se regardait, plus on rigolait. On est tellement bien ensemble ! Tu sais, il est super content de m'avoir comme amoureuse. Et puis,

il est fier que je sois la plus jolie de l'école, ça c'est sûr, il me le dit tout le temps.

Et si je la poussais sous une voiture ? Tiens, celle qui arrive au bout de la rue...

Mais la voilà qui en rajoute de plus belle :

– De toute façon, il m'a dit qu'aucune autre fille ne l'intéressait à l'école. Tiens, tu sais ce qu'il m'a dit sur toi ? Qu'il te trouvait super moche avec tes cheveux frisés, que tu n'étais même pas drôle, et que quand tu faisais la folle, t'étais complètement débile ! Je lui ai dit que ce n'était pas très gentil et que, quand même, tu n'étais pas si moche, mais il n'a pas changé d'avis. Ah, les garçons, tu sais, ils ne peuvent pas s'empêcher de dire ce qu'ils pensent. Et ce n'est pas toujours sympa...

Puis elle tourne à gauche, dans sa rue, en me lançant :

– Salut, Lulu, à demain !

Je suis détruite. Je rentre chez moi sans penser à rien, comme si mon corps marchait tout seul. Je monte directement dans ma chambre, et je pleure toutes les larmes que j'ai emmagasinées depuis quelques jours. Ce que je viens d'entendre est atroce ! Alexis me trouve moche avec mes cheveux frisés, même pas drôle et complètement débile. Tout est fichu. Je suis nulle, nulle, nulle. Alexis me déteste et, moi, je suis malheureuse.

Tout à coup, Vanessa, ma grande sœur, entre dans ma chambre sans frapper, comme d'habitude.

– Ah, t'es là, je pensais bien avoir entendu quelque.... Ben, qu'est-ce que t'as?

Je ne peux pas répondre, tellement je pleure.

Vanessa s'assoit sur mon lit et se penche vers moi :

– Ben, ma Lulu, ça ne va pas ? T'as eu une mauvaise note ?

Je fais non de la tête.

– Tu t'es fâchée avec Élodie ?

Je fais encore non de la tête à nouveau.

– Ben alors, dis-moi...

– Sniff... sniff... Je ne peux pas sinon, je vais pleurer.

– De toute façon, tu pleures déjà. Allez, raconte. C'est vrai que je te taquine souvent, mais je n'aime pas te voir comme ça. C'est grave ?

– Sniff... Sniff... Je suis amoureuse d'un garçon et lui, il me trouve moche, pas drôle et débile !

– C'est lui qui te l'a dit ?

– Non, c'est son amoureuse...

– Ah, parce qu'il a déjà une amoureuse ?

– Ben oui...

Vanessa réfléchit un instant et me dit :

– Bon, l'affaire est délicate. Mais, crois-en ma vieille expérience, ce que t'a dit cette fille, c'est sûrement des mensonges, parce qu'elle est jalouse, et si elle est jalouse, c'est qu'elle sait bien que tu es une vraie rivale. Tu me suis ?

– Euh...

– Donc, pas de panique ! Ne pense plus à ce que t'a dit cette fille et viens avec moi dans la cuisine : maman nous a acheté des Chocomiam ! Allez, la première arrivée en bas peut prendre le cadeau dans la boîte.

Mouais… ça peut être pas mal. Je me lève, je descends les escaliers en courant et j'arrive la prem's. Vaness' a fait exprès de me laisser gagner : elle est trop cool. Et le cadeau, c'est un pistolet à eau !

La tête de maman quand elle est rentrée le soir dans la cuisine inondée !

5

La surprise du siècle

J'ai mis deux heures à m'endormir parce que je n'arrêtais pas de penser à ce que Jennifer m'avait dit. Le lendemain, j'arrive à l'école le moral au plus bas. Devant la grille, j'aperçois Élodie qui, dès qu'elle me voit, se jette sur moi, attrape mes mains en sautant de joie sur place. Franchement, je ne vois pas ce qu'il y a de si réjouissant !

– Tu ne sais pas la nouvelle ?

Je réponds :

– Non.

– Tu ne vas pas en croire tes oreilles !

– Vas-y.

– Tu vas même peut-être hurler de joie !

– Ça m'étonnerait, mais dis toujours...

– Alexis a cassé avec Jennifer parce qu'il en avait marre qu'elle le colle tout le temps, et parce qu'il s'est rendu compte que c'était une crâneuse. Et tu sais ce qu'elle a répondu ?

– Non.

– « Je m'en fiche complètement parce que, moi, je peux retrouver un amoureux quand je veux », dit Élodie en l'imitant à merveille.

Voir Élodie jouer les crâneuses, ça me fait quand même bien rigoler. Mais je lui annonce :

– Tu sais, de toute façon, c'est fichu pour moi. Alexis ne sera jamais mon amoureux. Il pense que je suis moche, pas drôle et débile, alors, il y a peu de chance que ça marche...

– Mais comment tu le sais ? me demande Élodie.

– C'est Jennifer qui me l'a dit hier en rentrant de l'école...

– Ah ! Et tu l'as crue, cette verrue poilue à talons, cette crotte de nez à boucles d'oreilles ? Arrête, je vais en avoir des crampes à l'estomac..., dit Élodie en faisant semblant de se tordre de rire. Allez, viens !

Et quand j'entre dans la cour, je vois qu'effectivement, Alexis et Jennifer ne se donnent pas la main la main dans le rang. Ils sont même très éloignés l'un de l'autre.

À la récré, avec la bande habituelle et Alexis, on décide de jouer à Action ou vérité. On s'assoit tous en rond. Mansour commence :

– Félix : action ou vérité ?

Félix répond « action ».

– Bon, alors va faire le tour de la cour en criant : « Je suis une grosse saucisse... je suis une grosse saucisse... »

– Merci la honte ! lance Félix.

Mais le jeu, c'est le jeu, et il est obligé d'y aller. En le voyant répéter : « Je suis une grosse saucisse » comme un fou furieux, on se regarde Alexis et moi, morts de rire.

Quand Félix revient, rouge comme une saucisse de Strasbourg, il s'assoit et me demande :

– Lulu : action ou vérité ?

Après ce qui s'est passé, je préfère répondre : « Vérité. »

Félix continue :

– Qui est ton amoureux ?

Tout à coup, je blêmis ou plutôt non, je rougis ; ou plutôt non, je verdis ; je ne sais pas trop au juste. Je respire à fond, et je dis tout bas :

– Je n'ai pas vraiment d'amoureux. Il ne m'aime pas, alors, ce n'est pas un amoureux.

– C'est qui ? insiste Félix.

Élodie intervient pour me sauver :

– Pas le droit de poser deux questions. C'est à Lulu de jouer maintenant.

– OK, acquiesce Félix.

Je regarde mon copain Tim :

– Tim : action ou vérité ?

Il répond : « Vérité. »

– Est-ce que c'est toi qui m'as piqué ma gomme fluo ?

– Euh... oui, avoue Tim, mais je t'assure que je voulais te la rendre.

Je me lève et je me jette sur lui pour faire semblant de lui casser la figure. Tout le monde explose de rire en criant :

– Vas-y, Lulu ! Vas-y, Lulu !

C'est au tour de Tim de jouer maintenant. Il demande :

– Alexis : action ou vérité ?

– Action, répond Alexis d'une voix douce que j'adore.

Tim lui demande alors :

– Va embrasser la fille que tu aimes dans l'école.

Aaah ! C'est comme si un poignard me traversait le ventre. J'ai tellement peur que ce soit Élodie ou une autre copine. Quant à Alexis, il a l'air super gêné, il reste immobile.

Au bout d'un moment, il se met debout, il regarde ses chaussures, il lève la tête vers moi, il fait un pas dans ma direction, il s'accroupit juste à côté de moi et il me fait un bisou sur la joue. WHOUAH ! J'y crois pas ! Alexis m'aime ! Alexis m'aime ! Je lui fais moi aussi un bisou sur la joue. Mon cœur s'emballe comme un cheval au galop.

J'entends les copains qui crient :

– Oh, les amoureux... eux ! Oh, les amoureux... eux !

Ils peuvent dire ce qu'ils veulent, je m'en fiche. C'est le plus beau jour de ma vie ! J'ai un amoureux qui m'aime et que j'aime. Et ça, c'est ce qu'il y a de plus chouette au monde !

ET TOI,

Es tu amoureux (se)?

Etre amoureux - ou amoureuse - de quelqu'un est tout à fait naturel.

On ne sait pas comment ce sentiment naît en nous ni pourquoi telle personne nous plaît plus que telle autre, mais on ressent quelque chose de fort à l'intérieur de nous, qu'on a du mal à décrire.

Il est très difficile d'avouer son amour à la personne que l'on aime. On ne sait pas comment s'y prendre : on est gêné, intimidé. On ne sait pas comment celui ou celle que l'on aime va réagir. Et, en plus, très souvent, on ne veut pas que les autres le sachent.

Je t'aime !

Mais, parfois, on ose se dévoiler. On lance au garçon - ou à la fille - que l'on a choisi un petit « je t'aime » avec un grand courage. Si l'amour est partagé, quelle joie ! Alors, on peut garder ce secret à deux, sans que tout le monde soit au courant. L'amour est un beau secret.

Mais l'amour n'est pas seulement un sentiment heureux. Il fait souffrir aussi. On souffre de ne pas voir tout le temps la personne que l'on aime, on souffre si il ou elle ne nous aime pas en retour ou aime quelqu'un d'autre. Souvent, ça fait très mal, ça fait même pleurer... C'est ça aussi, l'amour.

Quand on est enfant, on apprend petit à petit à mieux connaître ce sentiment si fabuleux, mais parfois si cruel. Et, un jour, bien plus tard, on rencontrera son véritable amoureux (se), avec qui l'on voudra vivre.

Alors, que faire lorsqu'on est amoureux (se) ?

• Si tu t'en sens capable, tu peux essayer d'avouer à celui ou celle qui te plaît que tu l'aimes.

Tu peux lui dire ou lui écrire un mot. Tu verras bien ce qu'il ou elle te répond.

• Si c'est trop dur, ne t'inquiète pas, c'est tout à fait normal.

Déclarer son amour à quelqu'un n'est pas une chose facile à faire. Tu peux lui faire comprendre autrement que par les mots : lui lancer de doux regards, lui sourire, rire et jouer avec lui (ou elle).

• Si tu n'oses rien de tout cela, tant pis !

Tu peux aussi garder ton joli secret au fond de toi ou le partager avec ton meilleur ami ou ta meilleure amie.

• Si quelqu'un est amoureux de toi et que tu ne l'aimes pas...

Si il ou elle te suit partout, te parle tout le temps et que cela t'embête, n'aie pas peur de le lui dire. Explique-lui gentiment que tu ne veux pas être son amoureux (se).

• Par contre, si tu es amoureux (se) de quelqu'un qui ne t'aime pas, c'est sûr, cela te fera de la peine.

Mais, tu verras, ça passera petit à petit et tu trouveras plus tard quelqu'un qui t'aimera.

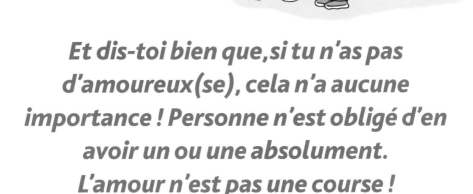

Et dis-toi bien que, si tu n'as pas d'amoureux(se), cela n'a aucune importance ! Personne n'est obligé d'en avoir un ou une absolument. L'amour n'est pas une course !

Un grand merci à Christine Arbisio, psychanalyste et maître de conférence en psychologie à l'Université Paris XIII, pour sa relecture attentive.

Autres titres parus :
Ma grande sœur me commande
Je déteste être timide
J'ai peur des mauvaises notes
On se moque de moi !
Je me dispute avec ma copine
Je ne peux jamais faire ce que je veux !
Je n'ose pas avouer mes bêtises
Je me trouve nulle
Je suis rackettée
On me traite de garçon manqué
Ma mère a trahi mon secret
J'ai le trac

Achevé d'imprimer en mai 2007 par OBERTHUR Graphique
35000 RENNES – N° Impression : 7735
Imprimé en France